À Joseph, Brune et Siméon.
AD

À Juana et Émile.
PM

© 2015 Albin Michel Jeunesse — 22, rue Huyghens, 75014 Paris — www.albin-michel.fr — Loi n° 49-956 du 16 juillet 1949 sur les publications destinées à la jeunesse — Dépôt légal : premier semestre 2015 — N° d'édition : 21631/13 ISBN-13 : 978 2 226 31524 3 — Imprimé en France chez Pollina s.a.- L79558

Astrid Desbordes

Pauline Martin

Mon amour

Albin Michel Jeunesse

C'est l'heure de se coucher.
La maman d'Archibald lui fait un dernier câlin.

— Bonne nuit, mon amour, lui dit-elle.
— Dis, maman, est-ce que tu m'aimeras
toute la vie ? demande Archibald.
— Hum, eh bien, je vais te dire un secret…,
répond sa maman.

Je t'aime depuis que je te connais,

et même avant.

Je t'aime quand tu le vois,

et quand tu ne le vois pas.

Je t'aime quand tu fais comme moi,

et quand tu fais comme toi.

Je t'aime quand tu es le plus beau,

et quand il n'y a que moi qui le vois.

Je t'aime quand tu marches
comme un grand,

et quand je marche
comme une grande.

Je t'aime quand tu es contre moi,

et quand tu es contre moi.

Je t'aime
quand tu as réussi,

et quand tu vas réussir.

Je t'aime quand tu penses à moi,

et quand tu oublies.

Je t'aime quand je pense à toi,

et quand j'oublie.

Je t'aime quand tu pars à la guerre,

et quand tu changes d'avis.

Je t'aime quand tu sens bon,

et quand ça n'a pas d'importance.

Je t'aime quand c'est bien toi,

et quand je ne te reconnais pas.

Je t'aime quand tu écoutes,

et quand c'est mon tour.

Je t'aime quand
tu es comme il faut,

et que ça ne dure pas.

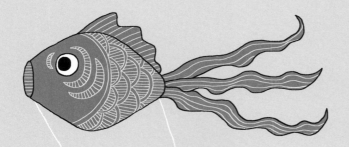

Je t'aime quand on est ensemble,

et quand vous êtes ensemble.

Je t'aime parce que tu es mon enfant,

mais que tu ne seras
jamais à moi.

Eh bien, tu vois,
c'est ça mon secret.
Je t'aime chaque jour.

Et pour toujours.